Lidere sua mente

Seja autor(a) da própria história

AUGUSTO CURY

O PSIQUIATRA MAIS LIDO DO MUNDO

Lidere sua mente

Seja autor(a) da própria história

Principis

Esta é uma publicação Principis, selo exclusivo da Ciranda Cultural

Texto
© Augusto Cury

Editora
Michele de Souza Barbosa

Preparação
Walter Sagardoy

Revisão
Fernanda R. Braga Simon

Produção editorial
Ciranda Cultural

Diagramação
Linea Editora

Design de capa
Ana Dobón

Imagens
Nemeziya/shutterstock.com

Dados Internacionais de Catalogação na Publicação (CIP) de acordo com ISBD

C982c Cury, Augusto

Lidere sua mente: Seja autor(a) da própria história / Augusto Cury. - Jandira, SP : Principis, 2022.
64 p. ; 15,50cm x 22,60cm. (Augusto Cury)

ISBN: 978-65-5552-732-2

1. Autoajuda. 2. Autonomia. 3. Autoconhecimento. 4. Comportamento. 5. Sentimentos. 6. Psicologia. 7. Motivação. 8. Emoções I. Título. II. Série.

2022-0403 CDD 158.1
CDU 159.92

Elaborado por Lucio Feitosa - CRB-8/8803

Índice para catálogo sistemático:
1. Autoajuda : 158.1
2. Autoajuda : 159.92

www.augustocury.com.br

1ª edição em 2022
www.cirandacultural.com.br

Dedico este livro a alguém especial.

Que sua vida seja um canteiro de oportunidades.
E, quando você errar o caminho, não desista.
Saiba que ser feliz não é ser perfeito,
Mas usar suas lágrimas para irrigar a tolerância,
Usar seus erros para corrigir suas rotas,
Usar suas perdas para refinar sua paciência.
É criticar menos e apostar muito mais.
É dar sempre uma nova chance para si e para os outros.
Ser feliz é aplaudir a vida mesmo diante das vaias.

Sumário

Capítulo

1

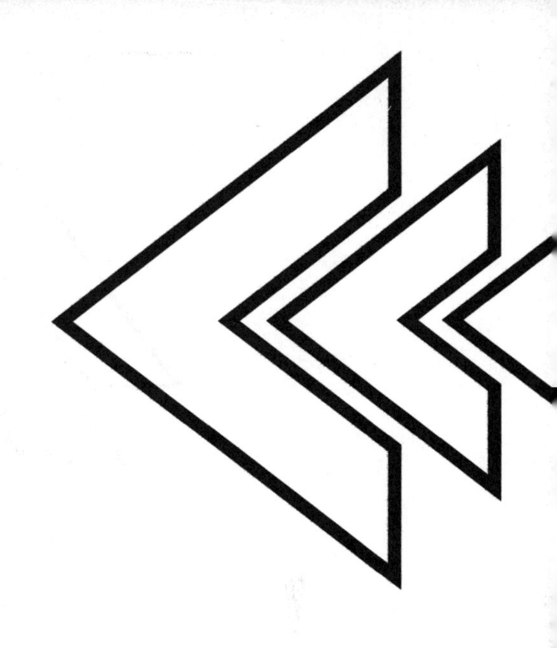

O Eu como piloto da aeronave mental

Ser autor(a) da própria história é ser líder de si mesmo(a), é ser um *coaching* emocional, ou seja, um treinador da capacidade de gerenciar a emoção. É ser capaz de:

1. Pensar antes de reagir nos focos de tensão.
2. Construir metas claras e lutar por elas.
3. Fazer escolhas e saber que toda escolha implica perdas, e não apenas ganhos.
4. Tirar os disfarces sociais, ser transparente e reconhecer conflitos, fragilidades, atitudes estúpidas.
5. Não desistir da vida, mesmo quando o mundo desaba sobre si.
6. Liderar a si mesmo(a) – não ser controlado(a) pelo ambiente, pelas circunstâncias e pelas ideias perturbadoras.
7. Gerir a própria mente.

Os erros da educação clássica

A educação clássica nos ensina a conhecer detalhes de átomos que nunca veremos e de planetas em que nunca pisaremos, mas não nos ensina a conhecer o planeta em que todos os dias respiramos, andamos, vivemos: o planeta psíquico.

Ao longo deste volume, você será encorajado(a) a se conhecer, a se mapear. O autoconhecimento básico é fundamental para expandir o prazer de viver, superar a solidão, promover o diálogo interpessoal, estimular a formação de pensadores, enriquecer a arte de pensar, debelar o câncer da discriminação e prevenir a depressão, a síndrome do pânico, os transtornos de ansiedade, a dependência de drogas.

Por sermos uma espécie pensante, tendemos a cuidar seriamente daquilo que tem valor. Cuidamos do motor do carro para não fundir, da casa para não deteriorar, do trabalho para não sermos demitidos, do dinheiro para não faltar. Alguns se preocupam com suas roupas; outros, com suas joias; e outros, com sua imagem social.

Mas qual o nosso maior tesouro? O que deveria ocupar o centro de nossa atenção? O carro, a casa, o trabalho, o dinheiro, as roupas, as viagens ou a qualidade de vida?

Por incrível que pareça, nossa qualidade de vida, em destaque a saúde emocional, fica frequentemente em segundo plano. Sem ela, não temos nada e não somos nada; não somos mentalmente saudáveis, emocionalmente livres, socialmente maduros, profissionalmente realizados.

Você cuida da sua qualidade de vida?

O Eu é despreparado para pilotar a aeronave mental

Sempre costumo perguntar: você teria coragem de subir num avião e fazer uma longa viagem sabendo que o piloto é inexperiente e tem poucas horas de voo? Relaxaria se soubesse que ele desconhece os instrumentos de navegação? Dormiria se ele não tivesse habilidade para se desviar de rotas turbulentas, com alta concentração de nuvens e descargas elétricas?

Todos respondem que se sentiriam completamente desconfortáveis. Muitos nem sequer ousariam pisar nessa aeronave.

Você se conhece?
Já entrou em áreas mais profundas de si mesmo(a)?
Tem medo de mapear suas fragilidades?

Mas o que você poderá pensar se eu lhe disser que embarcamos diariamente na mais complexa das aeronaves, que é comandada por um piloto frequentemente despreparado e mal equipado para pilotá-la? A aeronave é a mente humana, e o piloto é o Eu.

Se você entrar num avião de última geração, ficará perplexo(a) com a quantidade de instrumentos para dar apoio à navegação. Mas de que adiantam tais instrumentos se o piloto não sabe usá-los?

De que adianta o Eu ter recursos para dirigir o psiquismo ou o intelecto se, durante o processo de formação da personalidade, não adquire os conhecimentos básicos desses instrumentos e as mínimas habilidades para operá-los?

Os professores são vitais, mas a educação está doente

Ninguém é tão importante quanto os professores no teatro social, embora a débil sociedade não lhes dê o valor que merecem.

Mas o sistema em que os professores estão inseridos é estressante. Não forma coletivamente seres humanos com consciência de que possuem um Eu, de que esse Eu é construído por mecanismos sofisticadíssimos, de que esses mecanismos deveriam desenvolver funções vitais nobilíssimas e de que, sem o desenvolvimento dessas funções, ele poderá estar completamente despreparado para pilotar o aparelho mental, em especial quando abarcado por um transtorno psíquico mais grave, como a dependência de drogas, a depressão e a ansiedade crônica.

E, uma vez despreparado, será conduzido pelas tempestades sociais e pelas crises psíquicas. Será um barco à deriva, sem leme.

Um Eu malformado corre grandes riscos de ser imaturo, ainda que seja um gigante na ciência; de ser sem brilho, ainda que socialmente aplaudido; de viver de migalhas de prazer, ainda que tenha dinheiro para comprar o que bem desejar; de ser engessado, ainda que tenha grande potencial criativo.

Se fôssemos pilotos de avião, a melhor conduta talvez fosse desviar--nos das formações densas de nuvens, mas, como pilotos mentais, essa seria a pior atitude, ainda que a mais frequentemente tomada. E isso por três razões.

Em primeiro lugar, porque é impossível o Eu fugir de si mesmo.

Em segundo, porque, se o Eu exercitar a paciência para deixar as emoções angustiantes se dissipar espontaneamente para seguir em frente, ele cairá na armadilha da autoilusão.

A paciência, tão importante nas relações sociais, é péssima ao significar a omissão do Eu em atuar no gerenciamento das dores e conflitos psíquicos. Eles serão dissipados apenas aparentemente. Serão arquivados no córtex cerebral (camada mais evoluída do cérebro) e farão parte das matrizes de nossa personalidade. Atuar, portanto, é a palavra-chave.

Em terceiro lugar, porque poderão formar janelas traumáticas (*killers*) duplo P (duplo poder: poder de encarceramento do Eu e de expansão da janela doentia), que aprisionam o Eu e o desestabilizam como gerente da mente humana.

O que seu Eu faz com as turbulências emocionais? Deixa-as passar, desvia-se delas ou as enfrenta?

Capítulo 2

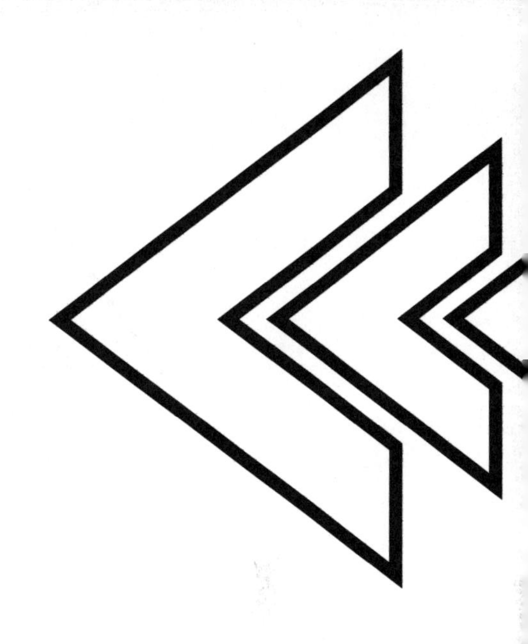

Somos líderes de
nós mesmos ou
servos de nossos
traumas?

Muitos usuários de droga mentem para si mesmos

O maior problema do uso de drogas não é o efeito psicológico imediato da substância; é, sim, o arquivamento desse efeito pelo *fenômeno RAM* (Registro Automático da Memória), formando uma *janela killer* ou traumática.

Essa janela traumática acaba por se expandir e se tornar aprisionadora do Eu, construindo uma *janela killer duplo P* (poder de encarcerar o Eu e poder de retroalimentar o núcleo traumático).

Quando um usuário de *crack* ou cocaína está numa situação estressante, detona-se um fenômeno inconsciente chamado *gatilho da memória*, que é um copiloto do Eu, mas que infelizmente encontra a *janela killer* em meio a inúmeras janelas saudáveis.

O volume de tensão que emana dessa *janela killer* é tão grande que bloqueia milhares de outras janelas ou arquivos, encarcerando o Eu, impedindo-o de ter acesso a milhões de dados para poder dar respostas inteligentes. Nesse momento, ocorre a recaída.

Quantas vezes os usuários de droga choram e prometem para si, para a família, enfim, para Deus e todo o mundo, que vão abandonar o uso de drogas/álcool, mas traem suas intenções? Essas traições ocorrem não porque não estavam sendo sinceros, mas porque caíram nas armadilhas das *janelas killers duplo P*, onde havia a representação do efeito das drogas.

Essas janelas liberam um volume de ansiedade que leva o piloto da aeronave mental, o Eu, a não usar os instrumentos de navegação, conduzindo-o a desrespeitar sua decisão de não mais usar drogas. Como seu Eu não é autor de sua história, o desejo de usar uma nova dose de droga ou de bebida alcoólica vence.

O desafio é deixar de ser escravo da dependência e se tornar líder de si mesmo. Mas, para isso, no exato momento em que um usuário de drogas encontra-se num foco de tensão – magoado, sentindo-se deprimido, decepcionado com a vida –, seu Eu não deve submeter-se ao *gatilho da memória* e à *janela killer*.

Seu Eu deve gritar no silêncio mental contra a vontade compulsiva. Deve confrontá-la e impugná-la com garra, lucidez e autoridade. Não é simples, mas é possível ser líder de si mesmo, ainda que tenha sido um dependente de drogas por anos ou décadas.

O Eu deveria saber usar instrumentos para o enfrentamento e a reciclagem de suas angústias e mazelas emocionais. Mas as escolas do mundo todo não nos ensinam a usar esses instrumentos ou ferramentas. Não nos ensinam que o Eu deve virar a mesa contra tudo o que nos controla e dar um choque de lucidez em nossos fantasmas mentais.

Os fantasmas das fobias

A fobia é uma aversão irracional por um objeto fóbico, que pode ser um simples inseto (lagartixa, aranha, por exemplo), um elevador (claustrofobia) ou o ato de falar em público (fobia social). A dependência de drogas, por sua vez, é uma atração irracional por uma substância. São lados opostos da mesma moeda da doença emocional.

Tanto uma como a outra dependem das *janelas killers duplo P*, produzidas por um registro superdimensionado de experiências doentias.

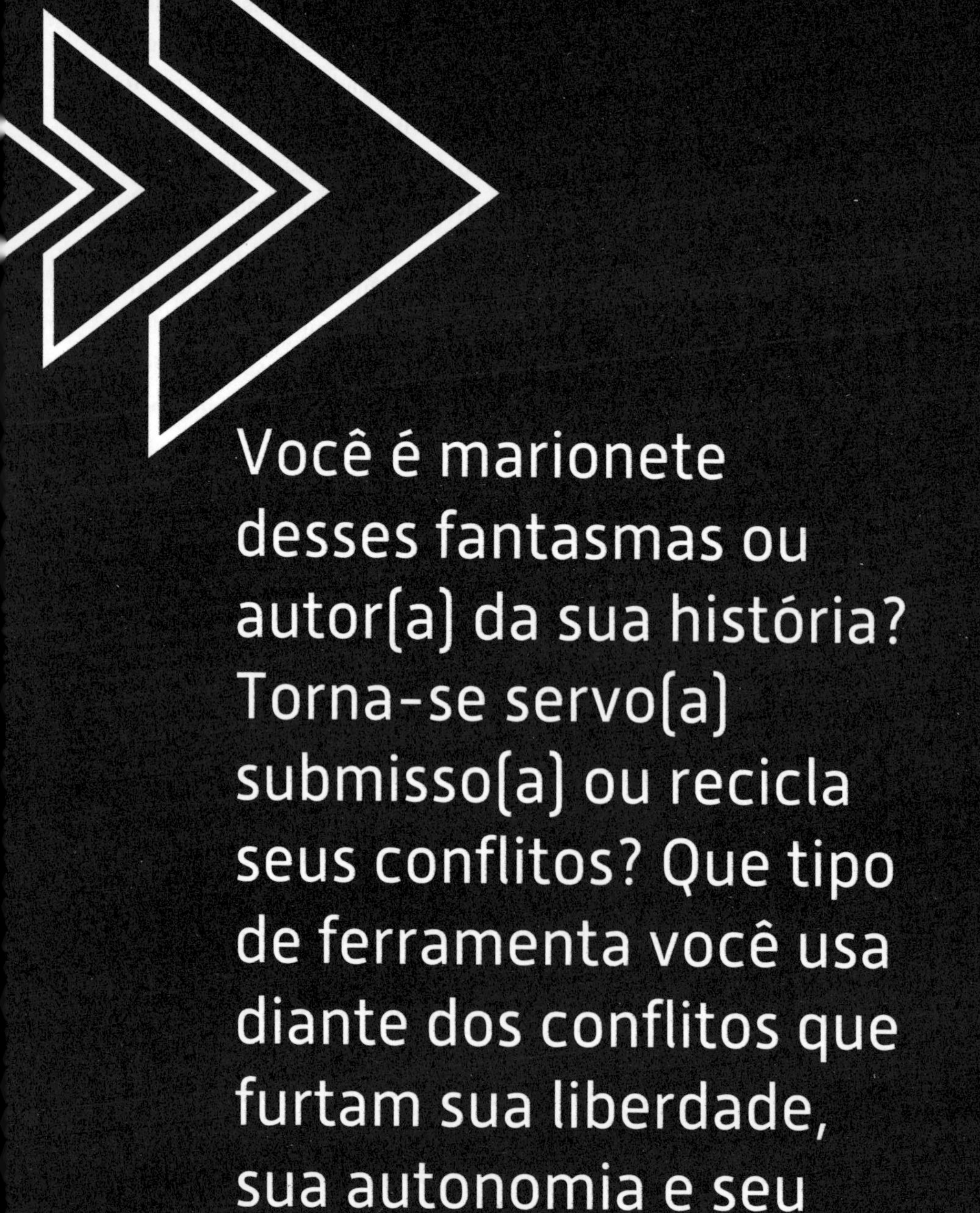

Você é marionete desses fantasmas ou autor(a) da sua história? Torna-se servo(a) submisso(a) ou recicla seus conflitos? Que tipo de ferramenta você usa diante dos conflitos que furtam sua liberdade, sua autonomia e seu prazer de viver?

Depois que essas janelas se instalam e se expandem, cristaliza-se a dependência psicológica. A partir daí, o verdadeiro monstro é não mais a droga química, mas o arquivamento dessas janelas nos bastidores da mente.

Esses arquivos é que controlam o Eu e "assombram" os usuários de droga de dentro para fora. As *janelas killers* não podem ser deletadas, apenas reeditadas. Por isso, superar a dependência não é uma tarefa simples ou mágica. É muito mais do que se afastar das drogas. Depende de treinamento, educação, psicoterapia.

E que tipo de atitude o Eu toma diante do humor depressivo que esmaga o encanto pela existência? E diante dos estímulos estressantes que nos tiram do ponto de equilíbrio? E dos pensamentos antecipatórios, da ansiedade e da irritabilidade?

Infelizmente, o Eu é treinado a ficar calado no único lugar em que não se admite ficar quieto. É adestrado para ser submisso no único lugar em que não se admite ser um servo. É aprisionado no único ambiente em que, para ser inteligente, saudável e feliz, precisa ser livre.

Seu Eu se cala diante de seus conflitos ou grita dentro de você? É líder ou servo de seus pensamentos perturbadores? Não tenha pressa em responder. Pergunte se você não sofre por problemas que ainda não aconteceram.

Uma mente saudável não exige que sejamos heróis

As mudanças na psique humana não aceitam atos heroicos. Se você disser que de hoje em diante será uma pessoa livre, tolerante, generosa, segura, tranquila e bem-humorada, provavelmente sua intenção heroica será dissipada no calor dos problemas que enfrentará. Até um psicopata tem, em alguns momentos, intenção de mudar sua história, mas falha.

A verdadeira liberdade é um treinamento que se conquista dia a dia, compondo plataformas de *janelas light* (formadas por experiências saudáveis), que alicerçam o Eu como gestor de nossa mente e autor de nossa história.

O treinamento emocional para ser autor(a) da própria história é um projeto de vida. Nesse projeto, cada ser humano é importante e capaz, independentemente de sua etnia, cultura ou condição social. Cada ser humano possui uma rica história que contém lágrimas, alegrias, falhas, coragem, timidez, ousadia, insegurança, sonhos, sucessos, frustrações, solidão, dependência doentia. Você é um ser humano complexo.

A última fronteira da ciência é desvendar como pensamos, qual a natureza e quais os tipos de pensamento que temos, como o Eu desenvolve a consciência e pode ser o gestor de nossa mente. Temos o privilégio de ser uma espécie pensante entre milhões de espécies na natureza, mas, infelizmente, nunca honramos adequadamente a arte de pensar. As discriminações que sempre mancharam nossa história são um testemunho evidente de que não dignificamos essa fascinante arte.

Infelizmente, pela falta de compreensão do espetáculo da vida e dos segredos que nos tecem como seres que pensam, sempre nos dividimos. A paranoia de querer estar um acima do outro e as guerras ideológicas, comerciais e físicas são reflexo de uma espécie doente e dividida.

Não percebemos que, no teatro da mente, somos todos iguais. Não somos judeus, árabes, americanos, brasileiros ou chineses. Somos seres humanos, pertencentes a uma única e fascinante espécie. Temos diferenças culturais, mas os fenômenos que constroem cadeias de pensamento e transformam a energia emocional são exatamente os mesmos em cada ser humano. Por isso, toda discriminação é desinteligente e desumana.

A paranoia de querer estar um acima do outro e as guerras ideológicas, comerciais e físicas são reflexo de uma espécie doente e dividida.

Capítulo

3

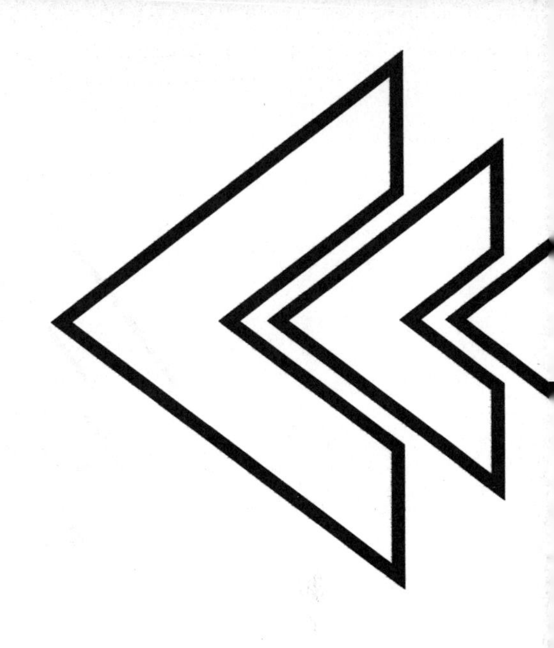

Assumindo o papel de protagonista do teatro mental

Apaixonar-se pela vida é fundamental

Talvez você nunca tenha ouvido falar sobre isso, mas se apaixonar pela vida e pela espécie humana é condição fundamental para ter alta qualidade de vida e sabedoria.

Por favor, lembre-se sempre disto:

1. A vida que pulsa dentro de nós, independentemente de nossos erros, acertos, status e cultura, é uma joia única no teatro da existência.
2. Cada ser humano é um mundo a ser explorado, uma história a ser compreendida, um solo a ser cultivado.

É uma atitude irracional valorizarmos alguns artistas de Hollywood, políticos e intelectuais e não valorizarmos na mesma estatura nossa indecifrável capacidade de pensar. Afinal, todos somos grandes artistas no anfiteatro da mente.

Que espécie é essa em que alguns são supervalorizados e a maioria é relegada ao rol dos anônimos? Isso é uma mutilação da inteligência. Muitos podem não ter fama e status social, mas para a ciência todos somos igualmente complexos e dignos.

A rainha da Inglaterra nunca teve mais valor nem mais complexidade intelectual do que um miserável das ruas de Londres. Einstein e Freud não

Ninguém
pode ser um
grande líder no
teatro social se
primeiramente
não o for no
teatro psíquico.

tiveram mais segredos psíquicos do que um faminto do Terceiro Mundo, um dependente de drogas ou um criminoso. Essa é uma verdade científica.

Quando você lê sua memória em milésimos de segundo e escolhe, sem saber como e em meio a bilhões de opções em seu inconsciente, as informações para construir uma única ideia, está sendo um(a) grande artista. Você crê nisso?

Supervalorizar uma minoria de intelectuais, artistas, políticos, empresários pode ser tão traumático quanto discriminar. Respeitar e tomar algumas pessoas como modelo é saudável, mas supervalorizá-las bloqueia nossa inteligência e capacidade de decidir. Hitler foi supervalorizado. As consequências foram trágicas.

Para ser autor(a) da sua história, em primeiro lugar é necessário enxergar a grandeza do psiquismo humano e nunca se diminuir, inferiorizar-se ou ser um(a) "coitadista" que tem pena de si mesmo(a), que fica procurando culpados pelos próprios conflitos.

Ainda que haja culpados, o importante não é promover uma caça às bruxas fora de nós, mas, sim, encontrar os fantasmas em nossa mente e reciclá-los, reeditá-los, eliminá-los.

Um Eu "coitadista" esmaga sua coragem e capacidade para reescrever sua história.

Em segundo lugar, é preciso ter consciência de que somos iguais na essência psíquica e nos respeitamos nas diferenças. Uma pessoa madura não exige que os outros tenham a mesma crença, o mesmo pensamento, cultura e modo de vida que ela tem.

Em terceiro lugar, deve aprender a gerir seus pensamentos e emoções. Ninguém pode ser um grande líder no teatro social se primeiramente não o for no teatro psíquico.

O resgate da liderança do Eu

Muitos confundem o significado do Eu. Mesmo nas teorias psicológicas, há uma carência de definição adequada.

De acordo com a Teoria da Inteligência Multifocal, o Eu representa a nossa consciência crítica, nossa vontade consciente e capacidade de decidir. O Eu é a nossa identidade. Não é um mero realizador de tarefas – eu posso, quero, faço.

O Eu é a nossa capacidade de analisar as situações, duvidar, criticar, fazer escolhas, exercer o livre-arbítrio, corrigir rotas, estabelecer metas, administrar o psiquismo.

Agrônomos discutem microelementos para nutrir as plantas, médicos debatem sobre moléculas medicamentosas, economistas discorrem sobre medidas para controlar o fluxo de capitais internacionais... Mas nós não sabemos quase nada sobre como formar o Eu como diretor psíquico.

O sistema acadêmico nos prepara para exercer uma profissão e para conhecer e dirigir empresas, cidades ou estados, mas não a nós mesmos. Essa lacuna gerou déficits gritantes na formação do Eu, que, por sua vez, tornou-se um dos importantes fatores que fomentaram as falhas históricas do *Homo sapiens.*

Não é loucura um mortal produzir guerras e homicídios? O caos dramático da morte perpetrado na solidão de um túmulo deveria produzir um aporte mínimo de sabedoria para que o Eu controlasse sua violência, mas não é suficiente. Um Eu infantil, pouco dado à interiorização, postula-se como deus.

Não é estupidez um ser humano que morre um pouco a cada dia ter a necessidade neurótica de poder como se fosse eterno? Não é estupidez uma pessoa que não sabe como gerenciar seus pensamentos ter a necessidade ansiosa de controlar os outros?

Não é uma barbaridade querer ser o mais rico, famoso ou o mais eficiente no leito de um hospital?

Ninguém quer isso.

Mas por que muitos que têm espetacular sucesso social e financeiro, em vez de relaxar e se deleitar, continuam num ritmo alucinado, procurando metas inalcançáveis? Um Eu competente não significa um Eu bem-formado. Um Eu malformado pode ser eficientíssimo para o sistema social, mas, simultaneamente, ter uma péssima relação consigo mesmo.

Algumas pessoas tiveram pais fascinantes, uma infância maravilhosa e privada de traumas, mas tornaram-se tímidas, pessimistas, mal-humoradas, ansiosas. A base de sua personalidade não justifica sua miserabilidade. Para entendê-las, temos de observar os mecanismos de formação do Eu. E, para que elas superem essa miserabilidade, não adianta tratar de uma doença; é preciso tratar do Eu doente, do Eu como gerente da psique.

O Eu não está só. Tem atores coadjuvantes

Como vimos, há fenômenos inconscientes que produzem pensamentos e emoções sem a autorização do Eu, como o *gatilho da memória* e o *autofluxo* (fenômeno inconsciente que lê a memória milhares de vezes por dia para produzir imagens mentais, personagens, ambientes, etc. À noite, é o engenheiro dos sonhos e, durante o dia, é o engenheiro que inspira e distrai a mente humana. Mas pode causar estresse se as imagens mentais são perturbadoras).

O *gatilho da memória* e o *autofluxo* são fenômenos de altíssima complexidade. São atores coadjuvantes ou copilotos do Eu para que possamos construir pensamentos, ideias, imagens, fantasias, interpretações, intuição, impressões, personagens, ambientes, circunstâncias. Até quando dormimos, nossa mente não para: os atores coadjuvantes nos levam ao universo dos sonhos.

Quantas vezes pensamos o que não queremos e sentimos o que não desejamos? Você tem pensamentos que roubam sua tranquilidade?

Isso ocorre porque há fenômenos que leem a memória sem autorização do Eu. Eles são importantíssimos para o desenvolvimento da inteligência. Por exemplo, sem o *gatilho da memória*, que dispara em pequenas frações de segundo, abrindo milhares de janelas ou arquivos, você não checaria os dados da memória e não entenderia cada palavra deste texto.

Não é, portanto, o Eu que realiza essa complexa tarefa interpretativa, mas esses fenômenos inconscientes. Eles são vitais, mas podem tornar-se disfuncionais. Quando o *gatilho* encontra uma *janela killer*, fecha-se o circuito da memória, conspirando contra a atuação do Eu. Nesse caso, eles deixam de ser libertadores e se tornam aprisionadores. Lembre-se das pessoas que usam drogas ou que têm crises de fobia.

Um Eu doente, sem estrutura e maturidade, é indeciso, inseguro, instável, impulsivo, ansioso, escravo dos pensamentos e das emoções destrutivas.

Mesmo intelectuais, executivos e líderes sociais podem ter um Eu doente ou imaturo. Eles podem ser ótimos para tratar de problemas externos, mas não para resolver problemas internos. Quando são contrariados, criticados ou atravessam perdas, têm reações agressivas ou sofrem excessivamente.

Nossa história, arquivada na memória, é a caixa de segredos da nossa personalidade. Ninguém é autor sozinho da sua história. Somos construídos e construtores da nossa personalidade. Somos construídos pela carga genética e pelo ambiente educacional e social, representados por nossos pais, professores, amigos, colegas, escola, televisão, esporte, música, uso da internet...

Somos construtores da nossa personalidade por meio da liderança do Eu. Desde a aurora da vida fetal, milhões de pensamentos e emoções são registrados a cada ano na memória, tecendo complexas redes de matrizes ou janelas.

A fascinante construção do Eu

Toda vez que um feto ou um bebê vivencia uma experiência existencial, como tocar o palato com os dedos e ter prazer oral, o *fenômeno RAM* (Registro Automático da Memória) forma uma nova janela ou expande uma anterior.

Imagine que um pai entre em atrito com a mãe grávida. Subitamente o útero se contrai. O bebê sofre o impacto. Pode sentir desconforto pelo corte súbito de prazer gerado pela contração da musculatura uterina ou por uma descarga de metabólitos estressantes que atravessam a barreira placentária.

O uso de drogas, incluindo bebidas alcoólicas e cigarro, pode afetar muito o bebê, devido às substâncias que passam pela barreira placentária, causando déficit do desenvolvimento, agitação intrauterina, inquietação, hipersensibilidade a estímulos estressantes.

Temos de ter consciência de que a educação se inicia não no meio familiar ou escolar, mas no útero. A mãe, em especial, deve ter consciência de que precisa preparar um ambiente saudável e estável durante a gravidez para que o *fenômeno RAM* do bebê forme um grupo de janelas no centro da memória que subsidiará uma emoção tranquila, serena, sem grandes pulsações ansiosas.

Em síntese, o feto, depois o bebê e, posteriormente, a criança expande a MUC (memória de uso contínuo) e a ME (memória existencial ou inconsciente) num processo contínuo e incontrolável.

As janelas serão lidas e relidas, formando, pouco a pouco, pensamentos que darão voz às necessidades instintivas (sede, fome) e afetivas (abraço, segurança, proteção, interações). Aos poucos, surge a racionalidade mais complexa, pautada por ideias, opiniões, compreensão, autoconhecimento, diálogos, autodiálogos.

O bebê começa a dar respostas aos pais e a todos os estímulos ao redor, em especial pela ação do *gatilho da memória*. Sorri, brinca, faz festa, chora, irrita-se. Um dos fenômenos mais belos do psiquismo humano e que demonstra o aceleramento da construção do Eu é a utilização espaçotemporal dos símbolos verbais para expressar uma intencionalidade, ação ou vontade. É seu grande despertar.

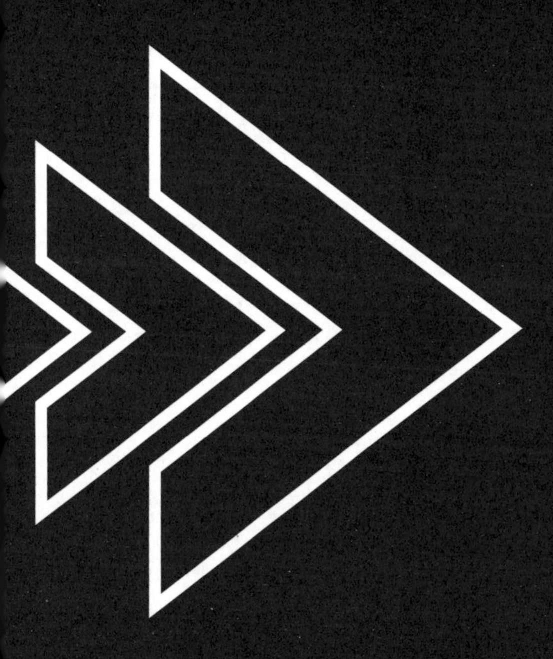

Mesmo intelectuais, executivos e líderes sociais podem ter um Eu doente ou imaturo.

Capítulo

4

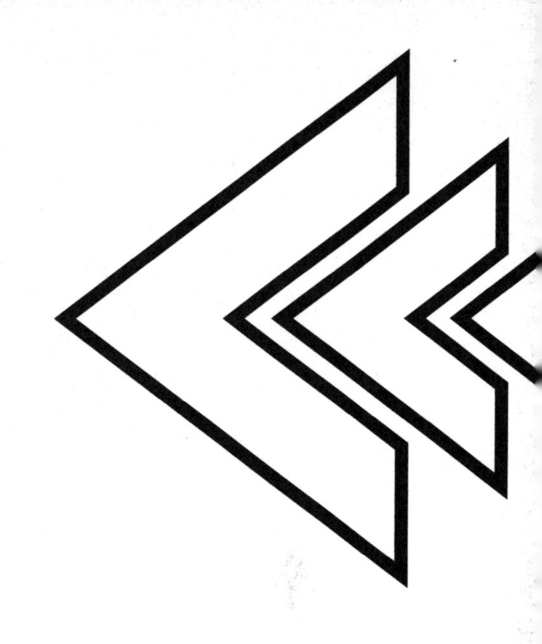

As funções do Eu como gestor de si mesmo

Não é o uso correto dos tempos verbais que faz do Eu um brilhante engenheiro psíquico. É, sim, sua ousadia em considerar que a palavra expressará seus desejos e sua habilidade fenomenal de exercer a leitura multifocal das janelas e manipular dados subjacentes para expressar uma intenção e crer que o outro (pai, mãe ou responsável) o compreenderá. É preciso para isso uma "fé" (capacidade de dar crédito) que nem os religiosos mais ardentes já tiveram.

A habilidade do Eu de penetrar no escuro da mais complexa "cidade" – a cidade da memória –, de encontrar endereços, como os verbos e os pronomes, mesmo sem saber previamente qual iria escolher, e de usar essas palavras para expressar um pensamento e se fazer entendido é surpreendente.

Você nunca ficou fascinado(a) com sua capacidade de pensar?

Tente encontrar objetos na sua casa se a energia acabar. Talvez não os encontre. Agora tente encontrá-los de olhos vendados, sem ajuda e sem esbarrar em nada na periferia da sua "cidade". Não conseguirá. Mas seu Eu encontrará tais endereços na memória sem esbarrar em nada e terá certeza de que os encontrou. E olhe que a cidade da sua memória tem milhões de vezes mais endereços que a cidade de São Paulo, por exemplo.

Estudar, aprender, incorporar novos conhecimentos para nutrir as funções do Eu é fundamental, mas submeter adultos, e principalmente crianças, ao excesso de informações e de atividades é quase um "crime" contra a formação de um Eu saudável.

As crianças da atualidade têm atitudes, respostas e reações que parecem ser de verdadeiros gênios. Seus pais se orgulham de mostrá-las. Eles não entendem que essa superinteligência é consequência do excesso de estimulação (TV, *video games*, internet) e de atividades que alargam excessivamente o centro da memória – a MUC (memória de uso contínuo).

Essa exposição estimula demasiadamente o fenômeno do *autofluxo* a construir cadeias de pensamento numa velocidade nunca antes vista, estressando o Eu, fazendo com que crianças e adultos se tornem agitados, inquietos, ansiosos, "máquinas de pensar". E esse excesso de informações e de atividades gera a Síndrome do Pensamento Acelerado (SPA), causando esgotamento cerebral e ansiedade crônica, o que produz, entre outros sintomas, fadiga excessiva, dores de cabeça, sofrimento por antecipação e esquecimento. O excesso de pensamentos desgasta o cérebro, asfixia o prazer de viver e contrai a imaginação e a sociabilidade.

Provavelmente a maioria das crianças de sete anos das sociedades atuais tenha mais informações do que um imperador romano tinha quando dominava o mundo no auge de Roma. Informações empilhadas de forma inadequada na MUC não subsidiam a construção de pensamentos lúcidos, altruístas, coerentes e úteis para libertar o imaginário.

O que é ser autor(a) da própria história?

Se considerarmos a mente humana como um grande teatro, é possível afirmar que, devido à fragilidade do Eu para atuar dentro de si, a maioria das pessoas fica na plateia assistindo passivamente a seus conflitos e misérias psíquicas encenados no palco. Precisamos sair da plateia, entrar no palco dos nossos pensamentos e emoções e dirigir nossa história.

As teorias psicológicas que dizem não ser possível mudar a personalidade do adulto estão cientificamente erradas nessa área. É mais fácil mudar a personalidade das crianças porque as matrizes de sua memória estão abertas, mas o adulto também pode sofrer transformações substanciais.

Cada vez que você pensa e registra esse pensamento, sofre uma pequena (micro) mudança. Pensar é transformar-se.

O problema é que podemos mudar para pior. Devido ao volume de ideias perturbadoras, muitas pessoas deixam, pouco a pouco, de ser alegres, livres, motivadas, singelas, ousadas. Em qualquer época da vida, poderemos adoecer se não trabalharmos nossas perdas, decepções, crises.

O que você faria se a relação com as pessoas que ama estivesse em crise, se o encanto pela vida estivesse se dissipando e o prazer por seu trabalho estivesse se esgotando? Lutaria para reconquistar o que mais ama? Ficaria paralisado(a) na plateia pelo medo e pelas dificuldades ou entraria no palco e resolveria ser autor(a) de sua história?

Eu espero que você entre no palco, pois ninguém pode dirigir a peça de sua vida em seu lugar!

Apesar de o funcionamento da mente humana ser de indescritível beleza, a personalidade adquire conflitos com facilidade: complexo de inferioridade, timidez, fobias (medos), depressão, obsessão, síndrome do pânico, doenças psicossomáticas, rigidez, perfeccionismo, insegurança, impulsividade, preocupação excessiva com o futuro e com a imagem social.

Alguns são controlados por traumas do passado; outros, por decepções do presente. Uns resolvem com facilidade as dificuldades; outros perpetuam os transtornos psíquicos por anos ou décadas. Não aprenderam a dirigir a aeronave mental, a usar as ferramentas fundamentais para se tornar autores da sua história.

Quando necessário, devemos fazer um tratamento psicológico e médico sem culpa e com motivação e consciência. Entretanto, nunca devemos esquecer que precisamos ser os atores principais do tratamento. O Eu é o grande agente de mudança.

Nunca conheci alguém plenamente saudável. Pessoas calmas têm seus momentos de impaciência. Pessoas tranquilas têm seus momentos de ansiedade. Pessoas lúcidas têm seus momentos de incoerência. Todos precisamos de ajuda em alguma área de nossa personalidade.

Escravos da era moderna

Vivemos em sociedades livres, mas nunca houve tantos escravos no território da emoção. Escravos da ansiedade, da impulsividade, do medo, da intolerância, da timidez, da irritabilidade, do estresse, das preocupações com o amanhã, do excesso de atividades.

Como tenho afirmado, a educação formal nos tem preparado para trabalhar no mundo de fora, mas não para atuar no mundo de dentro.

Milhões de pessoas nunca aprenderam que podem e devem gerenciar seus pensamentos e emoções. Como serão líderes de si mesmas se não se conhecem minimamente? Como evitar que tenham transtornos psíquicos se não têm ferramentas para se defender ou se resolver?

Muitos investem toda a energia na própria empresa ou profissão. Tornam-se máquinas de trabalhar (*workaholics*). Não investem na tranquilidade e no prazer de viver, nem em suas relações. São admirados socialmente, mas têm péssima qualidade de vida. Empobreceram no único lugar onde não podemos ser miseráveis: no teatro da nossa mente.

São ansiosos, irritados, inquietos, insatisfeitos. A maioria deles promete para si que corrigirá seu caminho, mas nunca o corrige.

Por fim, alguns morrerão e se tornarão os mais ricos e bem-sucedidos de um cemitério. Triste história!

Que característica da sua personalidade ou postura de vida você tem tentado mudar, mas não tem conseguido?

Você pode adiar muitas coisas na vida, mas não a decisão de ser autor(a) da própria história. Afinal, a vida é um grande livro. É sua responsabilidade escrever os textos.

Capítulo

5

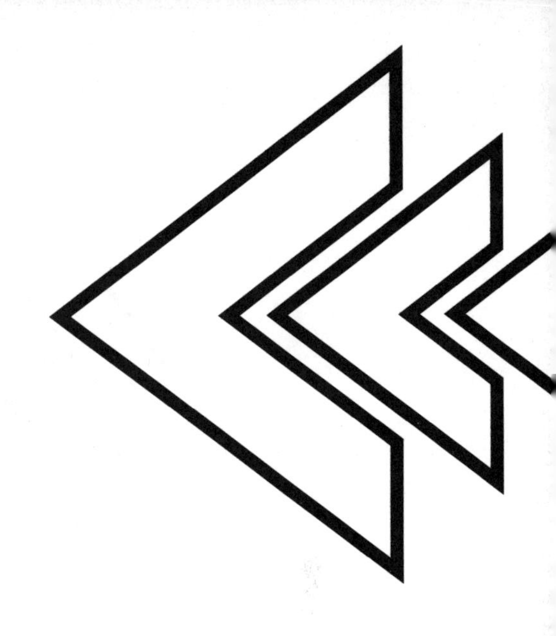

Um Mestre que foi autor pleno de sua história

Como minha Teoria da Inteligência Multifocal estuda não apenas o funcionamento da mente e a construção de pensamentos, mas também a formação de pensadores, comecei, após terminar seus pressupostos básicos, a estudar as ferramentas que os personagens da História usaram para influenciar a sociedade e brilhar na própria mente, como Moisés, Buda, Maomé, Confúcio, Sócrates, Platão, Freud, Einstein.

Também comecei a estudar a personalidade do homem que dividiu a História, Jesus, sob o ângulo das ciências. Usei suas quatro biografias, chamadas de Evangelhos. Sabia que a religião pode ser uma fonte de saúde psíquica ou uma fonte de doenças mentais, especialmente quando fomenta o radicalismo, a discriminação e o desrespeito pelos diferentes. Sabemos dos desastres que religiosos cometeram ao longo da História.

O resultado dessa pesquisa psicológica, sociológica, pedagógica e filosófica – portanto, não religiosa – foi surpreendente. Fiquei profundamente encantado com a personalidade de Jesus.

Suas reações fogem aos limites da nossa imaginação, chocam as ciências e abalam os alicerces de qualquer ateu. Convenci-me, não pela paleografia ou pela arqueologia, mas por meio das ciências humanas, de que nenhum autor poderia construir um personagem com as características de Jesus.

Para espanto das ciências humanas, ele tinha todos os motivos para ter ansiedade, depressão e fobias, devido à avalanche de estímulos estressantes que vivenciou desde a infância. Mas atingiu o ápice da saúde emocional, da generosidade, da resiliência, da habilidade de trabalhar perdas e frustrações. Era capaz de gerenciar seus pensamentos e proteger sua emoção nos focos de tensão mais dramáticos e fazer "poesia" quando o mundo desabava sobre ele.

Ele era capaz de dar tudo o que tinha aos que pouco tinham: dava a uma prostituta o status de rainha e a um discriminado leproso o status de príncipe. Se naquele tempo encontrasse um dependente de drogas ou um criminoso nas ruas, certamente ele lhe estenderia as mãos e lhe daria o status de um dileto amigo.

Eu fui um dos maiores ateus que pisaram nesta terra. A partir dessa análise, passei a considerar a busca por Deus não o fruto de um cérebro apequenado, mas um ato inteligentíssimo de uma mente que procura os segredos da existência.

Deixei de ser ateu, embora respeite todos os ateus. Mas não defendo nenhuma religião; passei a ser um ser humano sem fronteiras. Tenho amigos em todas as religiões (padres, pastores, judeus, islamitas, budistas) e também ateus.

Jesus transformou seus frágeis alunos numa nobre casta de pensadores e os ensinou a pensar como espécie, a pensar antes de reagir, a não ter medo de suas lágrimas, a superar a necessidade neurótica de estar sempre certo, a se colocar no lugar dos outros e muito mais. Será interessante e emocionante estudar o Jesus não religioso, o educador, o promotor de qualidade de vida, o investidor em mentes livres e saudáveis.

Enxergando a grandeza da vida

O Mestre dos mestres ensinou a seus alunos a necessidade fundamental de serem autores de sua história no sentido mais pleno. Compreendeu como nenhum outro pensador da História a excelência da vida. Cada ser humano, independentemente de seus erros, era para ele uma joia única no palco da vida.

Nós desistimos de quem nos decepciona; para ele, ninguém era incorrigível. Teriam tantas chances quantas fossem necessárias. Até seu traidor e seus carrascos foram tratados com gentileza ímpar. Mesmo sendo frustrado pelas pessoas, jamais desistiu delas.

Ele acreditava que valia a pena investir em cada ser humano, até mesmo naqueles que a sociedade queria eliminar como lixo social. Por exemplo, as prostitutas em sua época eram levadas até a praça pública e mortas. As vestes de cima eram rasgadas, os seios ficavam à mostra e, sob clamores de compaixão inaudíveis, eram apedrejadas.

A cena era chocante. Como sempre na História, em particular nos dias atuais, a violência atraía grande audiência. Gemidos de dor, traumas, hematomas e hemorragias compunham a melodia angustiante dessa pena capital. A sociedade concorria para ver o episódio.

Tentar defender uma prostituta era loucura, era inscrever-se para sofrer o mesmo pesadelo. Entretanto, para nossa surpresa, Jesus tinha a coragem e o desprendimento de correr o risco de morrer por elas, mesmo que não as conhecesse. O Mestre da vida conseguia encontrar ouro escondido na lama.

Muitas vezes não protegemos nem a quem amamos. Alguns pais não conseguem ver a dor dos filhos estampada em seus olhos. Só vão perceber que eles estão doentes quando entram em crise. Alguns professores não conseguem perceber que, por trás da agressividade dos alunos, existe o grito de uma criança pedindo ajuda. Alguns juízes julgam os réus sem levar em consideração o sofrimento que motivou a ação. A justiça deve ser cega para ser justa, mas jamais deveria deixar de ter coração.

O território da emoção do homem Jesus era diferente. Era irrigado com uma ternura e uma capacidade de compreensão admiráveis. O amor o controlava e o tornava líder de si mesmo. Ele demonstrava não apenas uma sensibilidade fenomenal para compreender a dor dos outros e os sentimentos ocultos, mas também uma sólida habilidade para ser autor da sua história nos focos de tensão. Veja a seguir uma passagem complexa e interessante da vida de Jesus.

Ele foi autor da própria história no ápice do estresse

Milhares de judeus eram lúcidos e sensíveis. Eles admiravam e respeitavam profundamente o homem Jesus.

Mas havia um grupo de líderes, os fariseus, que o odiavam, tinham aversão ao seu comportamento afetivo e à sua tolerância. Como Jesus era socialmente admirado, eles precisavam ter um forte álibi para condená-lo sem causar uma revolta social. Depois de muito maquinarem, prepararam-lhe uma armadilha psíquica quase insolúvel.

Certa vez, uma mulher foi pega em flagrante adultério. Os fariseus arrastaram-na para um lugar aberto, onde o Mestre dos mestres ensinava uma grande multidão.

Interromperam abruptamente sua aula. Colocaram a mulher toda esfolada no centro de sua classe ao ar livre. Sob os olhares espantados dos presentes, eles proclamaram que ela fora pega em adultério e teria de morrer.

Sutilmente, olharam para Jesus e fizeram-lhe uma pergunta fatal: "Qual seria o seu veredito?". Nunca haviam pedido para Jesus decidir qualquer questão, mas fizeram essa pergunta para incitar a multidão contra ele e para que, assim, ele fosse apedrejado junto com a mulher adúltera.

Sabiam que ele discursava sobre a compaixão e o perdão como nenhum poeta jamais discursara. Se ele se colocasse ao lado dela, teriam como justificar a sua morte. Se condenasse a mulher, iria contra si mesmo, contra a fonte do amor sobre a qual discursava.

A multidão ficou paralisada.

O que você faria se estivesse sob a mira de um revólver? O que pensaria se estivesse em seus últimos segundos de vida? Ou, então, que atitude tomaria se fosse demitido(a) do emprego subitamente? Que reação teria se alguém que você ama muito lhe causasse a maior decepção da vida? Que comportamento teria se tudo o que você mais valoriza estivesse por um fio e corresse o risco de ser perdido subitamente?

Frequentemente, reagimos sem nenhuma lucidez nos momentos de tensão. Dizemos coisas absurdas, incoerentes, ferimos pessoas e nos ferimos. O medo, a raiva, a ansiedade nos impelem a reagir sem pensar. Os instintos controlam nossa inteligência.

Se perguntassem aos alunos do professor, eles teriam atirado pedras na mulher adúltera? Quantas pedras você atirou e em quem atirou?

O Mestre dos mestres da qualidade de vida estava no fio da navalha. O drama da morte o rondava e, o que era pior, poderia destruir todo o seu projeto de vida.

Seus opositores estavam completamente dominados pela raiva. A qualquer momento, as pedras seriam atiradas, as cenas de terror se iniciariam.

Foi nesse clima irracional que Jesus foi cobrado para dar uma resposta. Todos estavam impacientes, agitados, esperando suas palavras. Mas a resposta não veio... Ele não agiu pelo fenômeno bateu-levou.

Ele usou a ferramenta do silêncio. Ele nos deu uma grande lição: revelou que, num clima em que ninguém pensa, a melhor resposta é não dar respostas. É procurar a sabedoria do silêncio.

Nos primeiros trinta segundos em que estamos estressados, cometemos nossos maiores erros. Nunca se esqueça disto: seus maiores erros foram cometidos não enquanto você navegava nas calmas águas da emoção, mas enquanto atravessava os vales da ansiedade. Nesses momentos é que dizemos palavras que nunca deveriam ser ditas.

Jesus voltou-se para dentro de si, dominou sua tensão, preservou-se do medo, abriu as janelas da memória e resgatou a liderança do Eu. Executou todos esses mecanismos psíquicos sob a aura do silêncio. Foi autor da sua história num momento em que qualquer psiquiatra seria vítima.

Pelo fato de ter resgatado a liderança do Eu, teve uma atitude inesperada naquele clima aterrorizante: começou a escrever na areia. Era de esperar tudo, menos esse comportamento. Seus opositores ficaram perplexos.

Serenidade em ambiente altamente estressante

Somente quem é líder de si mesmo é capaz de ter coordenação muscular e serenidade para escrever num momento em que estão querendo assinar sua sentença de morte. Somente alguém que sabe ter domínio próprio e fazer escolhas é capaz de encontrar um lugar de descanso no centro de uma guerra.

Ele era livre para escrever ideias em situações em que só era possível entrar em pânico, gritar, fugir. Seus gestos fascinantes e serenos deixam abismada a psicologia.

Ninguém sabe o que ele escrevia. Mas deviam ser frases de grande conteúdo. Talvez escrevesse algo que demonstrasse a intolerância humana, a facilidade que temos de julgar os outros e a incapacidade que temos de encontrar um tesouro por trás da cortina dos erros. Talvez escrevesse que o perdão é um atributo dos fortes; a condenação, dos fracos.

Retirando os inimigos da plateia e colocando-os no palco

Seus gestos desarmaram seus inimigos. O foco de tensão foi pouco a pouco dissipado. Eles começaram a sair da esfera instintiva, do desejo de matar, para a esfera da razão. Desse modo, como um artesão da inteligência, o Mestre dos mestres preparou o terreno da inteligência deles para um golpe fatal.

Um golpe que os libertaria do cárcere intelectual. Golpeou-os com uma lucidez impressionante. Disse-lhes: “Aquele que dentre vós estiver sem erros, falhas e injustiças seja o primeiro a atirar uma pedra!”. Ele teve uma coragem inusitada ao dizer essa frase. A mulher poderia ter sido apedrejada na sua frente repentinamente. Mas ele só fez isso após debelar o foco de tensão emocional dos presentes.

Eles ficaram pasmados. O Mestre os autorizou a atirar pedras, mas mudou a base do julgamento. Teriam de pensar antes de reagir. Teriam de avaliar a história deles para depois julgá-la.

Jesus fez uma engenharia intelectual que eles não perceberam, pois envolveu processos inconscientes. Ao olharem para o espelho de sua alma antes de condenar a mulher, eles exerceram uma das mais importantes funções da inteligência: colocar-se no lugar dos outros. Assim, tornaram-se autores de sua história, pelo menos momentaneamente.

Mergulharam dentro de si, viram suas fragilidades, reconheceram sua injustiça. Desse modo, saíram da plateia, entraram no palco da mente e deixaram de ser vítimas do próprio preconceito. Dominaram temporariamente a agressividade e saíram de cena, não a mataram.

Atitudes como essas revelam uma face desconhecida de Jesus Cristo. Ele foi não apenas o Mestre dos mestres da qualidade de vida, mas também o maior promotor de saúde mental de que se tem conhecimento.

Provavelmente, foi a primeira vez na História que linchadores, sob o controle do ódio, fizeram uma ponte entre o instinto e a razão, saíram da agressividade cega para o oásis da serenidade.

Esse feito foi tão surpreendente que equivale a desarmar um terrorista no momento em que ele está para explodir o corpo e levá-lo a encontrar uma fonte de sensibilidade dentro de si.

A melhor maneira de desarmar um agressor e abrir o leque de sua inteligência é surpreendê-lo, seja com o silêncio, seja com um elogio, seja com uma atitude inusitada. Muitos assassinatos teriam sido evitados com essas atitudes.

Da próxima vez que estiver em situação constrangedora, não se obrigue a dar resposta imediata, treine ser amigo(a) do silêncio.

Os alunos de Jesus estavam controlados pelo medo e pela ansiedade. Se a pergunta fosse dirigida a eles, talvez tivessem ordenado que exterminassem a mulher. Mas eles viram seu Mestre navegar nas águas da emoção e ser líder de si mesmo numa situação-limite.

Aprenderam a perceber que o maior líder é aquele que lidera seu próprio mundo. Aprenderam que a agressividade, a falta de compreensão e a crítica impensada são os alicerces dos frágeis. Aprenderam a vacinar-se contra a discriminação e a valorizar a vida como um espetáculo insubstituível.

Se a humanidade vivesse 10% das ferramentas e dos princípios sobre os quais o Mestre dos mestres discursou eloquentemente, as guerras, a competição predatória, a violência, as discriminações, os conflitos psíquicos e as crises sociais estariam nas páginas dos dicionários, e não nas páginas da nossa vida.

A qualidade de vida, a saúde emocional e o desenvolvimento da inteligência dariam um salto sem precedentes.

Os povos têm admirado Jesus ao longo dos séculos, mas não têm respirado suas palavras e recitado suas poesias.

Capítulo

6

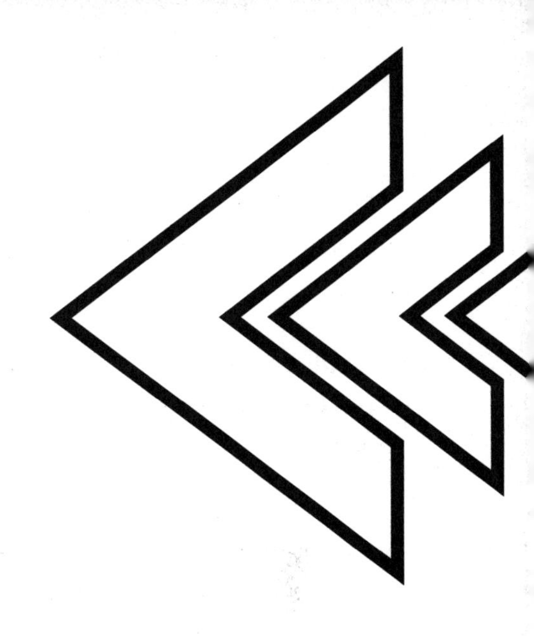

Para os líderes
nunca mais
esquecerem

Diante de todas as ferramentas abordadas neste volume sobre o Eu como autor da própria história, gostaria que você levasse por toda a vida estas teses:

1. **A vida é uma joia única no teatro da existência: todos temos uma rica história, apesar de nossos defeitos, falhas, "loucuras", irracionalidade.**

Que valor você realmente dá para sua vida e para as pessoas que ama? Elas são mais importantes que seus prazeres imediatos? Você tem investido em qualidade de vida ou tem sido uma máquina de atividades? Tem tempo para as pessoas que ama ou é uma máquina de trabalhar? Reacende as chamas de seus sonhos ou os enterra nos solos de suas preocupações?

Nunca se esqueça de que muitos querem o perfume das flores, mas poucos são capazes de sujar as mãos para cultivá-las. Parece que querem ser os mais ricos de um cemitério. Só conseguem desacelerar quando estão no leito de um hospital.

2. **Toda discriminação é desinteligente.**

Você já se sentiu ou se sente inferior às pessoas? Nunca se diminua diante de ninguém; jamais perca sua espontaneidade.

Nosso Eu pode e deve superar a necessidade neurótica de se preocupar em excesso com o que os outros pensam e falam de nós. Ele também pode e deve domesticar o fantasma da insegurança e nos levar a debater ideias e expressar nossas opiniões.

Todavia, dê às pessoas o direito de criticarem você. Afinal, não somos perfeitos. Viver em sociedade é atravessar de vez em quando os vales das frustrações. Quem deseja evitar todos os tipos de frustração deve mudar de planeta.

3. **Resgatar a liderança do Eu é ser líder da própria mente.**

O que mais o (a) perturba no teatro da sua emoção? Quais fantasmas o (a) assombram: medo, pessimismo, obsessão, compulsão, ansiedade?

Quem quer ter dias felizes e ser livre deve mapear, pelo menos, seus principais fantasmas mentais, inclusive com ajuda profissional se necessário, especialmente se seus conflitos forem incapacitantes. Um Eu que se propõe ser líder de si mesmo e não um servo de seus traumas deve se bombardear de perguntas.

Por exemplo, quanto às fobias, deveria indagar: Que medos me controlam? Por que eles me encarceram? Quando surgiram e por que surgiram? Qual seu fundamento e lógica? Por que meu Eu é submisso? O que devo fazer para não ser escravo(a) deles? Que decisões tenho adiado na minha vida?

Quem não mapeia seus fantasmas emocionais aprisiona-os nos porões da mente.

4. Um Eu autopunitivo, que cobra demais de si, não é autor da sua história, é um carrasco de si mesmo.

Quem tem a necessidade neurótica de se punir não se dá o direito de ser imperfeito, de ser um ser humano em construção. Tal atitude perpetua suas mazelas psíquicas, bloqueia suas habilidades como gestor psíquico.

Você age como um espectador passivo na plateia ou atua no palco de sua mente dirigindo o *script* de sua história? Muitos levam os conflitos para o túmulo por nunca aprenderem a ser autores da própria história.

5. Há um silêncio raríssimo, mas que todos deveríamos aprender desde a mais tenra infância: o silêncio proativo, o silêncio em que nos calamos por fora e gritamos por dentro.

Esse tipo de silêncio nos leva a afinar a preciosa ferramenta de "pensar antes de reagir", que é o instrumento básico para o Eu ser protagonista de si mesmo.

Quem não pensa antes de reagir é impulsivo, um escravo do fenômeno bateu-levou, da ação-reação. Por isso, não suporta ser contrariado, agride quem o ofendeu, machuca quem o frustrou. Torna-se um menino no território da emoção. Muitos têm trinta ou quarenta anos, mas sua idade emocional é de quinze anos. Têm a necessidade ansiosa de querer tudo rápido e pronto, de que todos gravitem na sua órbita, de ser deuses que não podem ser feridos ou decepcionados.

Um Eu maduro abraça mais e julga menos, elogia mais e critica menos. Um Eu emocionalmente bem resolvido é tolerante, paciente, generoso, proativo, protetor da sua emoção, filtrador de estímulos estressantes. Por isso, não compra o que não lhe pertence, não reage como uma esponja absorvendo picuinhas, atritos, críticas, falatórios desinteligentes. Não repete a mesma coisa várias vezes para convencer ou mudar os outros. É um construtor de relações saudáveis. Tem um romance com sua saúde emocional.

Referências

ADORNO, Theodor W. *Educação e emancipação*. Rio de Janeiro: Paz e Terra, 1971.

AYAN, Jordan. *AHA!* - 10 maneiras de libertar seu espírito criativo e encontrar grandes ideias. São Paulo: Negócio, 2001.

BAYMA-FREIRE, Hilda A.; ROAZZI, Antônio. *O ensino público é um desafio para todos*: encontros e desencontros no ensino fundamental brasileiro. Recife: UFPE, 2012.

CAPRA, Fritjof. *A ciência de Leonardo da Vinci*. São Paulo: Cultrix, 2008.

CHAUI, Marilena. *Convite à filosofia*. São Paulo: Ática, 2000.

CURY, Augusto. O *código da inteligência*. Rio de Janeiro: Ediouro, 2009.

CURY, Augusto. *Pais brilhantes, professores fascinantes*. Rio de Janeiro: Sextante, 2003.

CURY, Augusto. *Inteligência multifocal.* São Paulo: Cultrix, 1999.

CURY, Augusto. *A fascinante construção do Eu.* São Paulo: Planeta, 2012.

DESCARTES, René. *O discurso do método.* Brasília: UnB, 1981.

DOREN, Charles Van. *A history of knowledge.* New York: Random House, 1991.

FOUCAULT, Michel. *A doença e a existência.* Rio de Janeiro: Folha Carioca, 1998.

FREUD, Sigmund. *Obras completas.* Madri: Editorial Biblioteca Nueva, 1972.

FROMM, Erich. *Análise do homem.* Rio de Janeiro: Zahar, 1960.

GARDNER, Howard. *Inteligências múltiplas:* a teoria na prática. Porto Alegre: Artes Médicas, 1994.

GOLEMAN, Daniel. *Inteligência emocional.* Rio de Janeiro: Objetiva, 1995.

HALL, Calvin S.; LINDZEY, Gardner. *Teorias da personalidade.* São Paulo: EPU, 1973.

HUBERMAN, Leo. *História da riqueza do homem.* Rio de Janeiro: Guanabara, 1986.

JUNG, Carl Gustav. *O desenvolvimento da personalidade.* Petrópolis: Vozes, 1961.

LIPMAN, Matthew. O *pensar na educação.* Petrópolis: Vozes, 1995.

MORIN, Edgar. *Os sete saberes necessários à educação do futuro.* São Paulo: Cortez, 2000.

PIAGET, Jean. *Biologia e conhecimento.* Petrópolis: Vozes, 1996.

SARTRE, Jean-Paul. O *ser e o nada*. Petrópolis: Vozes, 1997.

STEINER, Claude. *Educação emocional*. Rio de Janeiro: Objetiva, 1997.

YUNES, Maria Angela Mattar. *A questão triplamente controvertida da resiliência em famílias de baixa renda*. 2001. Tese (Doutorado em Psicologia da Educação) - Pontifícia Universidade Católica de São Paulo, São Paulo, 2001.

Sobre o autor

A maior aventura de um ser humano é viajar, e a maior viagem que alguém pode empreender é para dentro de si mesmo. E o modo mais emocionante de realizá-la é ler um livro, pois um livro revela que a vida é o maior de todos os livros, mas é pouco útil para quem não souber ler nas entrelinhas e descobrir o que as palavras não disseram...

Augusto Jorge Cury nasceu em Colina, estado de São Paulo, no dia 2 de outubro de 1958. É o psiquiatra mais lido no mundo atualmente, professor, escritor e palestrante brasileiro, autor da Teoria da Inteligência Multifocal. Formado em medicina pela Faculdade de Medicina de São José do Rio Preto, fez pós-graduação na Pontifícia Universidade Católica de São Paulo, PUC-SP, e concluiu seu doutorado internacional em Psicologia Multifocal pela Florida Christian University no ano de 2013, com a tese "Programa Freemind como ferramenta global para prevenção de transtornos psíquicos". Na carreira, dedicou-se à pesquisa sobre o processo de construção de pensamentos, a formação do Eu, os papéis conscientes e inconscientes da memória, o programa de gestão de emoção e a lógica do conhecimento e o processo de interpretação.

Cury é professor de pós-graduação da Universidade de São Paulo, USP, e tem vários alunos mestrandos e doutorandos. É conferencista em congressos nacionais e internacionais. Foi conferencista no 13º Congresso Internacional sobre Intolerância e Discriminação da Universidade Brigham Young, nos Estados Unidos.

Considerado pelas revistas *IstoÉ* e *Veja*, pelo jornal *Folha de S.Paulo* e pelo instituto Nielsen o autor mais lido das últimas duas décadas no Brasil, seus livros já foram publicados em mais de setenta países e venderam mais de trinta milhões de exemplares apenas no Brasil.

No ano de 2009, recebeu o prêmio de melhor ficção do ano da Academia Chinesa de Literatura pelo livro *O vendedor de sonhos*, adaptado para o cinema em 2016, uma produção brasileira com direção de Jayme Monjardim.

O romance é considerado um *best-seller*, com milhões de cópias vendidas por todo o mundo. O filme se tornou também sucesso de bilheteria e um dos mais vistos da Netflix. O livro discorre, de maneira profunda, sobre os problemas emocionais e psicológicos e sobre as angústias da humanidade. Devido a todo o sucesso dessa obra, Cury escreveu duas sequências: *O vendedor de sonhos e a revolução dos anônimos* (2009) e *O semeador de ideias* (2010). Outros livros serão filmados, como *O futuro da humanidade* e *O homem mais inteligente da história*.

A teoria da Inteligência Multifocal é uma das raras teorias sobre o processo de construção de pensamentos e adotada em algumas importantes universidades. Ela visa a explicar o funcionamento da mente humana e as formas para exercer maior gerenciamento da emoção e do pensamento.

É autor do Escola da Inteligência, o maior programa mundial de educação socioemocional, com mais de 400 mil alunos e que promove desenvolvimento emocional de crianças, adolescentes e adultos. Elaborou o Programa Freemind, 100% gratuito, usado em centenas de instituições e clínicas, ambulatórios e escolas, a fim de contribuir com o desenvolvimento de uma emoção saudável para a prevenção e o tratamento da dependência de drogas. É autor do programa Você é Insubstituível, primeiro programa mundial de gestão da emoção para prevenção de transtornos emocionais e suicídios, também 100% gratuito, adotado por muitas instituições, como a Polícia Federal e a Associação de Magistrados do Brasil, e por uma nova rede social, a Gotchosen, que está disponível sem custos para todo ser humano de qualquer país. Entre na Gotchosen através do convite do Dr. Cury na bio dele do Instagram.